ARC-EN-POCHE

Collection dirigée par Isabelle Jan

L'édition originale de ce livre a paru en Suède sous le titre :
JAKOB DUNDERSKAGG SITTER BARNVAKT

CHRISTINA ANDERSSON

Barbatonnerre

Traduction
de Marianne Hoang

Illustrations
de Morgan

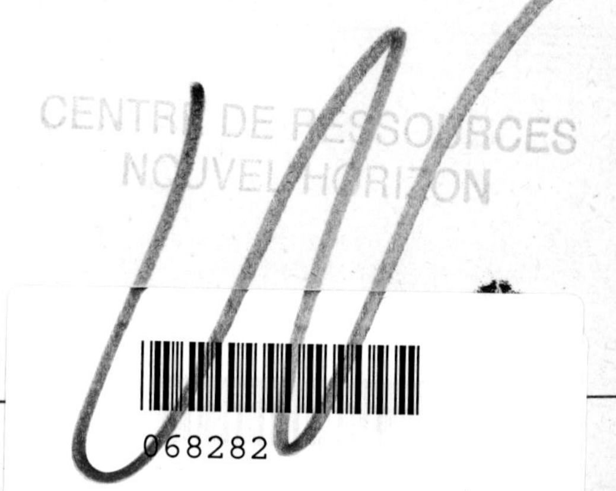

L'ARC EN CIEL
L'ARC EN CIEL
1980
MORGAN 80

1

Jacob arrive chez les Nicot

Jacob Barbatonnerre n'avait pas de travail.

C'était un grand et brave homme qui savait tout faire. Mais personne n'osait l'engager. Il s'était proposé comme mineur, facteur, poinçonneur, vendeur de saucisses, souffleur de verre, conducteur de tramway, pompier, coursier, employé de bureau et pour un tas d'autres emplois. Mais tout le monde avait peur de l'embaucher.

Et pourquoi donc ?

Eh bien... c'est qu'il avait été pirate !

Chaque fois que Jacob cherchait un métier, le patron lui demandait ce qu'il avait fait auparavant.

— J'ai été pirate, répondait Jacob.

Alors, le patron tremblait comme une feuille. Certains même, n'en croyant pas leurs oreilles, le poussaient vers la porte en s'exclamant :

— Non, non ! Nous n'avons rien pour vous. Nous n'avons rien qui puisse vous convenir ! (C'était assez bête à dire car comment savoir ce qui convenait à Jacob Barbatonnerre ?)

Ils claquaient vite la porte sur le dos de Jacob et, derrière les rideaux le regardaient s'éloigner avec méfiance.

Jacob Barbatonnerre avait deux mètres de haut, un mètre de large et une barbe noire. Ses mains étaient comme des battoirs, ses pieds de vraies péniches. Il portait un bonnet de laine à pompon rouge.

« Oh ! là ! là ! pensaient les gens, pourvu

qu'il ne se fâche pas et qu'il ne revienne pas ! »

Mais il ne revenait jamais. Si les gens lui refusaient un travail parce qu'il avait été pirate, Jacob ne voulait plus avoir affaire à eux.

Mais, heureusement, bien que sans travail et sans salaire, Jacob ne manquait de rien. Il mangeait à sa faim et il était bien logé. A vrai dire ce n'était pas pour gagner de l'argent qu'il cherchait du travail. Il en avait suffisamment pour vivre : son grenier était encombré de coffres poussiéreux pleins de vieilles pièces d'or, de pierres précieuses et de tout un bric-à-brac (comme il disait lui-même). De plus, au cours de ses voyages, il avait enterré des trésors par-ci, par-là dans des îles.

Jacob désirait tout simplement une occupation. Il estimait qu'il était mauvais pour la santé de ne rien faire. Il s'ennuyait à rester tout le temps dans sa maison à compter ses pièces d'or, à boire du rhum et à mettre des bateaux en bouteille. Il ne savait plus où ranger tous ces bateaux et son foie supportait assez mal tout le rhum qu'il avalait.

« Mais alors, pourquoi avait-il abandonné son ancien métier ? dira-t-on, pourquoi ne continuait-il pas à être pirate ? »

Oh ! Il avait des tas de raisons pour cela. D'abord, il était fatigué de se battre. Ensuite, l'air marin lui donnait mal au dos, à la nuque, ou ailleurs. Puis, petit à petit, son équipage s'était dispersé.

Jim-le-Bossu, par exemple, était devenu tellement bossu qu'il ne pouvait plus regarder droit devant lui (il ne voyait que le sol entre ses jambes). Tu penses bien qu'on peut difficilement être pirate avec un phénomène pareil !

Frédéric-la-Fine-Oreille s'était marié avec une danseuse des îles Sandwich et, depuis, refusait de quitter son foyer. Finies les batailles sur mer ! Il préférait paresser au soleil sur la plage en buvant du vin de coco et s'amuser à cueillir des fleurs avec ses orteils. Quand une mouche se posait sur son nez, sa femme la chassait avec une feuille de palmier tout en chantonnant « abablouathianou-mana ».

Paul-l'Eponge était mort d'avoir trop bu de rhum — c'était vraiment sa faute ! Une nuit de pleine lune, alors qu'il était de quart, il avait aperçu cinq tonneaux de rhum qui flottaient au milieu de la mer. Tout seul, il les avait hissés à bord (ce qui n'était pas facile) et les avait cachés et bus, sans en offrir une seule goutte aux autres.

Douglas-l'Edenté avait été croqué par un requin à quarante dents.

Grand-Franz qui n'aimait rien que nager avait quitté l'équipe pour devenir pêcheur de perles. Et Petit-Franz qui copiait toujours Grand-Franz avait fait pareil.

Mimi-le-Mou n'avait jamais eu vraiment le pied marin. Un jour, il trouva dans une bouteille un message venant de sa vieille tante. Elle lui pardonnait de s'être sauvé avec son chandelier d'argent et son paquet de biscottes et l'invitait à revenir le jour où il serait fatigué d'écumer les mers.

Mimi-le-Mou n'avait jamais pu oublier les tartes à la crème et à la confiture de fraises de sa vieille tante, alors, il ne se fit pas prier deux fois. Il quitta la mer pour la retrouver.

A la fin, il ne restait plus qu'Aymeri-le-Sourd devenu insupportable. Plus son ouïe devenait basse, plus sa voix devenait haute. Outre que sa voix n'était pas belle, il chantait faux. Mais cela ne le gênait guère : il chantait du matin au soir.

Il n'avait plus envie de parler puisqu'il n'entendait rien. Des histoires, il aurait pu en entendre pas mal si seulement il s'était lavé les oreilles de temps à autre. Mais il ne l'avait jamais fait de sa vie. Il croyait que c'était mauvais pour la santé et que le petit marteau qu'il portait dans son oreille se rouillerait.

A la fin, Aymeri avait eu tellement de saletés dans ses grandes oreilles que ça débordait : des feuilles mortes, des bouts de corde, des algues, des insectes, toute sorte de choses qui s'y étaient entassées. Et, un beau jour de printemps, un couple d'hirondelles s'était niché dans son oreille gauche et avait eu des petits. A partir de ce moment-là, Aymeri ne fut plus bon à rien. Il passait toute la journée à siffler pour les oisillons, les gavant de mouches et de miettes de pain, oubliant complètement de manœuvrer le bateau. Jacob l'avait débarqué en Hollande où Aymeri avait ouvert un magasin d'animaux. Il faisait de bonnes affaires. Le hollandais — c'est bien connu — est une langue incompréhensible, mais pour lui ça n'avait pas d'importance. Même s'il avait entendu, il n'y aurait rien compris.

Jacob avait continué tout seul son chemin

le long des côtes du Danemark et de Suède. Il avait traversé la mer d'Aaland, louvoyant à travers toutes les petites îles, pour arriver enfin à Turku où il avait vendu son bateau, visité le vieux château, mangé un bon bifteck dans le meilleur restaurant de la ville et pris le train pour Tammisaari. C'est qu'il était né là-bas et y possédait une maison.

Seulement, il n'y trouva pas de travail, pas plus qu'à Helsinki d'ailleurs.

Alors, que fit-il ?

Eh bien, comme il ne manquait pas d'astuce, il eut l'idée de passer dans le journal l'annonce suivante :

« Si vous désirez garde d'enfants solide, fidèle et ayant de la patience, téléphonez au 444-56-56. » (C'était le numéro de Jacob.)

Puis il attendit.

Le téléphone n'avait pas tardé à sonner. La personne au bout du fil, qui s'appelait Madame Nicot, avait besoin d'une garde d'enfants, l'après-midi même.

Jacob nota l'adresse en disant :

— Compris. Entendu. D'accord.

A quatre heures précises, la voiture de Jacob fonça à toute allure dans la direction de la maison des Nicot.

Madame Nicot resta stupéfaite quand Jacob, dans un bruit de tonnerre, monta quatre à quatre les marches de l'escalier.

Lorsqu'il se présenta comme la garde d'enfants, elle devint toute rouge et commença à bégayer.

— Euh... C'est vous qui... je veux dire, vous n'êtes pas... ?

— Je ne suis pas quoi ? demanda Jacob.

— Euh, je veux dire... ce, ce n'était pas... Le garde d'enfants n'est pas une dame ?

— Non. Pourquoi ?

— Oh, je pensais...

— Vous pensiez quoi ?

— Que vous étiez la personne qui... prenait les messages au téléphone.

— Oui, c'était bien moi.

— Mais je pensais que vous enverriez une de vos gardes d'enfants.

— Il n'y a pas d'autres gardes d'enfants que moi-même. Est-ce que je ne vous conviens pas ?

Madame Nicot ne sut quoi dire. Elle tourna de grands yeux inquiets vers son mari, attendant son aide.

— Voyons. Est-ce que vous aimez les enfants ? demanda Monsieur Nicot qui était un homme franc.

— Je crois, répondit Jacob, un peu hésitant puisqu'il ne connaissait pas d'enfants et qu'il ne pouvait pas en être tout à fait sûr.

— Bon, entrez donc ! dit Monsieur Nicot. Jacob lui parut honnête. De plus, il était un peu las de toutes ces jeunes filles qui prétendaient toujours « adooooorer les enfants », mais, en fait, s'en moquaient et passaient leur temps à regarder la télé sans s'occuper d'eux.

— Voici Monsieur Jacob qui restera avec

vous, dit Monsieur Nicot aux enfants. Sur quoi, sa femme et lui-même se rendirent à leur réception, bien que Madame Nicot eût encore l'air un peu inquiet.

Jacob Barbatonnerre s'assit dans un fauteuil et les enfants se plantèrent devant lui pour bien examiner ce nouveau venu. Il y avait quatre enfants : deux garçons, une fille et un bébé.

— Avez-vous bientôt fini de m'observer ? demanda Jacob en joignant ses deux mains sur son gros ventre.

— Tu es moche, dit la fille.

— Toi aussi, tu n'es pas très belle, dit Jacob.

— Je trouve aussi que tu es gros, dit la fille furibonde.

— C'est grâce à cela que j'ai réussi à me sortir d'un bon nombre de naufrages sans boire la tasse. J'ai toujours flotté jusqu'au rivage, alors que si j'avais été une demi-portion comme toi, je me serais noyé depuis longtemps.

— Maria est une gringalette, Maria est une gringalette ! se mit à chanter l'un des garçons en sautillant de plaisir.

— Hi, hiii, pleura Maria alors que sa bouche prit la forme d'un carré.

— Ecoute, Maria, ne t'en fais pas. Toi, tu

embelliras en grandissant, mais moi, même si je me remettais à grandir, je ne deviendrais pas plus beau pour cela, dit Jacob en souriant si gentiment dans sa grande barbe noire que Maria ne put s'empêcher d'éclater de rire.

— Tu vois comme tu es mignonne quand tu es gaie.

— Tu n'es pas laid non plus, avoua Maria timidement. Ce n'était pas pour de vrai.

— Moi, je n'aime pas l'école, dit le plus grand des garçons.

— Moi non plus, dit Jacob.

— Les filles sont des idiotes, protesta l'autre garçon.

— Les garçons qui disent que les filles sont idiotes le sont souvent eux-mêmes, répliqua Jacob.

— Glou, glou, dit le bébé.

— Blou, blou, dit Jacob.

C'est ainsi qu'ils avaient fait connaissance.

— Qu'est-ce que vous faites de beau? demanda Jacob.

— Bof, on s'ennuie. Ici, il ne se passe jamais rien. Et le pire, c'est quand papa et maman s'en vont en nous laissant à une garde d'enfants qui ne fait que tricoter et nous lire des contes de bébé, ou encore nous oblige à jouer à un jeu stupide, dit avec amertume le plus jeune des garçons.

— Ah bon. Et voudrais-tu vivre une aventure passionnante?

— Bien sûr.

— Mais dites-moi d'abord comment vous vous appelez. Moi, je m'appelle Jacob, comme vous le savez. Barbatonnerre est mon nom de famille.

— Moi, c'est Peter, j'ai six ans, dit l'un des garçons.

— Moi, c'est Yan, sept ans, dit l'autre garçon.

— Moi, c'est Maria, cinq ans, dit Maria.

— Et toi? questionna Jacob en se penchant vers le bébé qui n'avait qu'un an et demi.

— Aibloupp, dit-il.

— Aibloupp ? tiens, quel nom bizarre.

Les enfants se regardèrent en pouffant de rire.

— Elle ne s'appelle pas Aibloupp. On l'appelle la Puce, mais son vrai nom c'est Camomille, dit Maria.

Ensuite tous se sentirent un peu raides et solennels.

Eh bien, si on faisait un jeu, dit Jacob.

— Tu sais jouer ? demanda Yan.

— Bien sûr que je sais, répondit Jacob. Je sais presque tout faire.

— Bof, jouer, c'est bon pour les enfants, dit Peter qui, les doigts dans le nez, prétendait qu'il était trop grand pour jouer.

— Ce sont les enfants qui se mettent les doigts dans le nez, répliqua Maria.

A cet instant Jacob cria : "Attention !" et, la seconde après, il renversa la table pour empiler rapidement des chaises dessus.

— Ça, nous n'avons pas le droit de le faire, dit Maria.

— Mais moi, j'ai le droit, dit Jacob.

— Tu mets du désordre, dit Yan.

— Non, dit Jacob, je construis un bateau. Il faut être une taupe pour ne pas le voir. En es-tu une?

— Non, dit Yan.

— Eh bien, tu vois, dit Jacob en prenant la corbeille à papiers pour en faire la cheminée, le bateau est prêt. Voulez-vous partir avec moi pour un long voyage?

— Ouiii»! crièrent les enfants.

Aussitôt ils embarquèrent. Jacob imitait le bruit du bateau et Yan manœuvrait. Maria vérifiait qu'il n'y avait pas de crocodiles ou de requins, et chaque fois qu'elle en voyait un elle sifflait. Alors, Peter jetait une corde pour l'attraper.

La Puce tombait à l'eau presque tout le temps et ils étaient sans arrêt obligés de la

repêcher. Parfois elle ne voulait pas du tout être sauvée, ce qui posait évidemment quelques problèmes.

Quand le bateau fut encombré de requins et de crocodiles et que, pour la soixante-quatorzième fois, la Puce fut tombée à l'eau si loin que personne n'avait le courage de la repêcher, les enfants se groupèrent autour de Jacob pour lui demander de trouver autre chose à faire.

— Je pourrais peut-être vous raconter une histoire, dit Jacob.

— Oh oui, oh ouiii ! s'écrièrent les enfants.

— A condition que je me souvienne d'une belle.

— J'en suis certaine, dit Maria avec une voix douce comme la fourrure d'un chat.

— Hm... hm..., dit Jacob en se mouchant consciencieusement avec un grand mouchoir à carreaux rouges.

Pleins d'espoir, les enfants attendaient en

silence. Ils sentaient bien qu'il y aurait une histoire. C'était pour ainsi dire dans l'air. Et lorsqu'ils virent Jacob d'un geste décidé enfoncer le mouchoir dans sa poche, ils furent tout à fait rassurés. Puis Jacob dit :

— Si on racontait une aventure qu'on aurait vécue pour de vrai. Hein ?

Les enfants trouvèrent que c'était une bonne idée.

— Moi, je serais très courageux et très fort, dit Peter.

— Et moi, j'aurais de belles robes avec beaucoup de dentelles, dit Maria.

— Non, vous seriez comme vous êtes, dit Jacob d'un ton ferme. Ni plus, ni moins.

Et Jacob commença à raconter son histoire.

2

Il commença à raconter...

« C'était un après-midi tout à fait comme aujourd'hui : dehors il faisait un temps gris et nous étions seuls à la maison sans rien faire. Ce fut alors que nous commençâmes à construire un bateau. Le même que celui que nous venons de construire.

— Avec une cheminée en corbeille à papiers ?

— Avec une cheminée en corbeille à papiers. Et après, nous le remplîmes de provisions : biscottes, saucissons, biscuits, œufs, sel, poivre, eau et bien d'autres choses.

Ce passage de l'histoire donna faim aux enfants qui se précipitèrent à la cuisine pour chercher quelque chose à manger. Ils ramassèrent biscuits, biscottes et pommes dans un panier qu'ils ramenèrent au bateau-table-salle à manger.

Jacob prit une pomme, y mordit et continua :

— Emmenons également un paquet de couches pour la Puce et une culotte de laine supplémentaire. Et un pot de chambre. Et puis la boîte à outils, parce que les boîtes à outils sont toujours utiles.

Puis il continua son histoire :

« Et tout d'un coup, il se passa quelque chose. Le bateau-table-salle à manger commença de plus en plus à ressembler à un vrai bateau. Mieux : il bougea. Lentement, il glissa sur le tapis de la salle à manger.

— Où allons-nous ? demanda Yan.

— D'abord jusqu'au Fleuve des Aventures, répondis-je. En le descendant nous arriverons directement dans l'océan Atlantique et de là, nous voguerons jusqu'à une petite île qui se trouve aux antipodes.

— Est-ce qu'il y aura des aventures? demanda Peter.

— Oui, certainement, dis-je, mais avez-vous le courage d'y aller?

— Oui, j'adore les choses aventureuses! Plus c'est aventureux, mieux c'est.

— Faisons quand même attention, dit Maria. Comment l'île s'appelle-t-elle?

— Bwataouti, dis-je.

Puis le bateau commença à descendre l'escalier, mais il n'y avait plus de marches. A leur place grondait une terrible chute d'eau.

Sans hésiter, le bateau se lança vers la masse d'eau écumante et tourbillonnante. Ça grondait et ça tonnait dans les oreilles. On descendait tout droit à une vitesse vertigineuse. Vous avez crié et vous vous êtes cramponnés à moi. C'était comme si vous aviez un haut-le-cœur. Vous avez serré les paupières en pensant : “Maintenant c’est notre fin à tous !”

Tout de suite après, le bateau ralentit, le fracas de l’eau s’affaiblit.

Lorsque, prudemment, vous avez entrouvert vos yeux, nous avancions déjà calmement le long du Fleuve des Aventures. Il était comme un tunnel vert. Les arbres étendaient leurs longues branches au-dessus du fleuve et paraissaient s’embrasser.

Entre les ormes voletaient de grands papillons colorés qui chantaient à haute voix. Sur l’eau se balançaient des fleurs scintillantes, grandes comme des assiettes, et sur une pierre verdie de mousse un singe jouait du violon.

“Ooh... aah... !” vous êtes-vous exclamés, suffoqués.

La Puce était tellement excitée par la descente du torrent qu’elle n’arrêtait pas de sautiller en poussant de petits cris émerveillés.

Je pris une corde et fis une demi-clé autour de sa taille, puis j'attachai la corde à la porte de la cabine pour que, dans son excitation, elle ne sautât pas à l'eau. Moi-même, je tenais la barre.

Maria se pencha par-dessus bord et regarda dans l'eau : les grands pétales blancs clapotaient contre les flancs du bateau. Quand nous traversions un îlot de fleurs aquatiques, une forte odeur de miel nous enveloppait. Subitement, Maria eut l'envie irrésistible de cueillir une fleur.

— Laisse-les tranquilles, Maria, dis-je lorsque je la vis se pencher au-dessus de l'eau.

— Mais je n'en veux qu'une seule, sinon je vais pleurer.

— Non, elles vont se faner si tu les cueilles. Et alors, ce seront elles qui pleureront.

Mais Maria était déjà penchée par-dessus bord s'étirant jusqu'à ce qu'elle arrive enfin à attraper une de ces magnifiques fleurs.

Alors, il se passa quelque chose de très désagréable. C'est que ces fleurs-là n'étaient pas de gentilles plantes ordinaires, mais de très vilaines plantes qui aimaient la chair fraîche : des fleurs carnivores comme personne n'en avait jamais vues ! Goulues et puissantes elles auraient pu engloutir une vache entière. De plus, elles allaient à la chasse en bouquets.

Lorsque Maria voulut attraper la fleur, elle s'aperçut avec effroi que c'était elle qui était cueillie. Avec une rapidité foudroyante, la fleur s'empara de Maria en jetant des vrilles qui se nouèrent autour de son poignet et elle l'entraîna vers le bas. Cette fleur-ci était particulièrement grande, c'est pour cela que Maria l'avait choisie et en outre, elle avait terriblement faim.

Maria poussa un cri. Je me suis retourné et l'attrapai juste au moment où elle était sur le point d'être arrachée au bateau. Le navire s'arrêta.

— Aïe, aïe, aïe... elle me pince ! Au secours, elle me tire dans l'eau ! cria Maria, et c'était si terrible que vous autres aussi, vous vous êtes mis à crier. Vous avez hurlé à pleins poumons et la Puce encore plus, sans même savoir pourquoi. Ça faisait un bruit effroyable et, pauvre de moi, je ne pouvais même pas me boucher les oreilles, car il fallait bien que je tienne les jambes de Maria.

— Silence ! Silence, les enfants ! Arrêtez tout de suite de hurler, mille millions de sabords ! criai-je d'une voix forte comme un tremblement de terre.

Vous vous êtes immédiatement tus.

— Ça a l'air de mal tourner, dis-je, mais rien ne s'arrange en criant. Il vaut mieux réfléchir. Peter, cours vite chercher la boîte de poivre.

Peter fila. Entre-temps, les autres fleurs avaient flairé la chair fraîche et nageaient vigoureusement vers Maria inquiète de leur air affamé.

Lorsque Peter arriva avec le poivre, la fleur avait englouti la main de la pauvre Maria dans sa corolle et refermé ses pétales autour de la moitié de son bras. Maintenant elle suçait et aspirait tant qu'elle pouvait avec une force étonnante.

De mon côté, je tirais de toutes mes forces

l'autre moitié de Maria. Evidemment, Maria ne s'amusait pas du tout. Elle se sentait littéralement écartelée.

“Bientôt je vais craquer”, pensa-t-elle tristement. “Que dira maman ? Elle aura deux moitiés de Maria au lieu d'une Maria entière.”

Heureusement ça ne tourna pas aussi mal, car, à ce moment, Peter arriva, la boîte de poivre à la main.

— Vas-y, mon garçon. Poivre-la vite !

Mais Peter était tellement troublé qu'il envoya le poivre droit dans l'air, sans penser où il allait tomber. Cet étourdi en jeta une bonne dose contre le vent. Tout le poivre s'envola vers mon grand nez. J'éternuai si fort que chacun crut que le bateau éclatait. Je criai alors : “Sur la fleur, petite patate de poudreur de poivre !”

— Euh, la fleur ? dit Peter, et, sans comprendre, il vida enfin toute la boîte sur la fleur qui emprisonnait Maria.

D'abord, les pétales tremblèrent, puis ils devinrent complètement rigides. "A-a-atchoum !" entendit-on. La fleur lâcha prise et Maria retomba lourdement sur le pont, sa main et son bras intacts.

Maria était sauvée. Tout le monde poussa des hourras et fit des grimaces affreuses aux fleurs aquatiques qui, effrayées, s'enfuyaient en nageant. L'horrible fleur continua à éternuer jusqu'à ce qu'elle disparût sous l'eau. Elle eut tellement honte qu'elle ne réapparut jamais plus.

Je remis le moteur en marche et nous continuâmes.

Il faisait du soleil, le pont était doux et chaud. Nous avions enlevé nos souliers pour bouger les orteils et je montrai comment je savais jouer du tambour avec mes doigts de pied. C'était comme les tambours à la parade. Enfin, presque.

Nous avons chanté *Frère Jacob* dix-huit fois. Yan chantait faux comme d'habitude, mais ça ne faisait rien. Je vous ai appris à chanter *Frère Jacob* en français, en anglais et en allemand. Après, nous avons remplacé “dormez-vous” par toute sorte de bêtises : “éternuez-vous”, “bâillez-vous” ou “faites-vous pipi” et, à la fin, nous étions si dingos que nous ne pouvions que pouffer de rire et dire des bêtises. »

Ici, Jacob prit encore une pomme.

— Sais-tu le faire, vraiment ? demanda Peter.

— Quoi ? dit Jacob.

— Ça, avec les orteils.

— Jouer du tambour avec les orteils ? Bien sûr que je sais le faire. Sinon, je ne le dirais pas.

— Montre-nous, s’il te plaît Jacob !

— D’accord, dit Jacob, enlevant son soulier et sortant un très large pied de sa chaussette.

Ses orteils étaient grands comme des saucisses et couverts de poils noirs ébouriffés. Les yeux en l'air, il chercha un air qu'il siffla tout en tambourinant en cadence avec ses orteils.

L'effet était si réussi que les enfants, eux aussi, voulurent essayer. Ils ôtèrent leurs souliers et leurs chaussettes et alors Jacob dit :

— Ho ! là ! là ! Quelle collection d'orteils noirs. Je les enverrais bien prendre un bain.

Ceci dit, il alla faire couler l'eau du bain pendant que les enfants continuaient à tambouriner avec leurs orteils. Ce n'était pas très harmonieux. La Puce, plus sage, avait tout de suite compris que ça ne valait pas la peine d'essayer et elle préféra être un crocodile qui mordillait les orteils des autres. A ce moment, Jacob, de la salle de bains, appela les enfants.

3

Des lions et du poil à gratter...

La salle de bains sentait merveilleusement bon et la baignoire débordait de mousse.

Les enfants étaient heureux.

— As-tu pris le bain moussant de Maman ? demanda Maria.

— De toute façon, nous ne lui dirons rien, dit Peter.

— Ça, ce n'est pas l'odeur du bain moussant de Maman, dit Yan. Celle-ci est bien meilleure.

— Non, c'est mon bain moussant à moi, dit Jacob. Il vient de Hongkong.

— Maman est si avare de son bain moussant, dit Maria. Et de ses bonbons à la liqueur. Auparavant, elle les cachait derrière la boîte à café, mais maintenant je n'arrive plus à savoir où elle les met.

— Tout le monde a ses faiblesses, dit Jacob. Voyons, comment allons-nous faire ? Je crois que nous nous baignerons deux par deux. A quatre dans la baignoire, elle déborderait. Puisque Yan et Maria sont déshabillés, qu'ils y aillent les premiers.

Jacob s'assit sur une chaise à côté de la baignoire.

La Puce se pelotonna dans les bras de Jacob, son visage contre sa douce barbe, en soupirant d'aise.

— Le truc avec le poivre, dit Jacob, m'a fait penser à une chose assez affreuse qui m'est arrivée une fois. Voulez-vous que je vous la raconte ?

— Ouiii ! crièrent les enfants.

Alors Jacob commença :

« Cela se passait lors d'un de mes premiers voyages en mer. Je m'étais fait embarquer sur un bateau qui devait transporter dix lions dans un parc zoologique. Nous avions navigué sans relâche deux jours et deux nuits et le soir nous avions jeté l'ancre dans un port pour dormir. Dans le même port se trouvait également un autre bateau. C'était celui de Moco le Mollusque, mon pire ennemi, une canaille de taille. Mais comme il portait une fausse barbe, je ne le reconnus pas. La nuit, il se faufila jusqu'à notre bateau et lima les cadenas des cages à lions, jusqu'à ce qu'ils soient presque cassés. Un bon coup de patte de lion suffisait pour que le cadenas cède et que la porte s'ouvre.

Le lendemain matin, après quelques heures de navigation, je descendis dans la cambuse pour préparer le petit déjeuner. Tranquillement installé, j'allais couper le pain quand j'entendis un bruit bizarre derrière moi. Je me retournai et mon regard tomba tout droit sur la gueule grande ouverte d'un lion.

Vif comme Superman, je lui enfonçai la miche de pain en travers de la gueule. Puis, je sautai par le hublot.

— Dans la mer ? demanda Peter.

— Non, sur le pont bien sûr. Juste pour m'apercevoir que les lions, rôdant un peu partout sur le bateau, dévoraient les marins les uns après les autres. Même le second y passa, et pourtant il était très coriace. Je peux vous assurer que cette fois je ne me sentis pas très à l'aise à bord. Et comme je n'avais pas envie d'être mangé, je grimpai au mât.

Perché là-haut, je me demandai comment tout cela allait se terminer. Le vent, très fort, sifflait méchamment à travers mes vêtements, le mât penchait d'un côté, puis de l'autre. Quel plaisir de rester accroché en haut du mât ! Les lions avaient flairé partout dans le bateau sans rien trouver d'autre à manger. M'apercevant soudain, ils se sont approchés d'un pas lourd, la gueule dégoulinante de salive. Tapis autour du mât, ils attendaient que je tombe. Parfois, un fauve me fixait, ouvrant sa gueule garnie de dents pointues et terriblement nombreuses et

poussait un rugissement effroyable qui faisait frémir tout le bateau. Pour m'effrayer, il frappait le mât de sa grosse patte. Il espérait que je lâcherais prise et tomberais directement dans sa gueule. Ce n'est pas que j'avais peur, mais enfin... Je scrutai la mer : pas de bateau en vue. En revanche, je découvris quelque chose qui m'effraya : un rocher sous l'eau. Le bateau fonçait droit vers le rocher. S'il heurtait ce récif, il se passerait deux choses. J'en étais sûr comme deux et deux font quatre. La coque serait trouée et le mât, déjà pourri, se casserait. De plus — j'en étais certain — nous irions nous échouer puisqu'il n'y avait personne à la barre. Imaginez ma joie une fois le mât cassé ! A cette triste pensée, je reniflai et dus me moucher. En fouillant dans ma poche pour prendre mon mouchoir, j'y trouvai un petit paquet. C'était du poil à gratter très fort que ma vieille tante m'avait donné. "On ne sait jamais quand ça pourra servir", avait-elle dit. Je vidai sans plus tarder tout le paquet sur les lions.

D'abord, rien ne se passa. Puis, très vite, le poil à gratter commença à faire tressaillir la crinière des lions qui mordillaient leurs pelages et bondissaient ça et là comme des puces d'eau. Plus cela les démangeait, plus ils devenaient fous. Ils se roulaient sur le pont, se mordaient la queue, rugissaient, bondissaient encore et, finalement, se jetèrent tous à l'eau.

Alors, je me laissai glisser du mât, m'élançai à la barre, la repoussai et, au tout dernier moment, évitai au bateau de s'échouer.

“Au poil, je m'en suis bien sorti”, dis-je, et, satisfait, je poursuivis le voyage tout seul.

Dans le sillage du bateau, j'entendis rugir, bouillonner et haleter. Je me retournai et... devinez le spectacle qui s'offrait à mes yeux !

Ayant repris du poil de la bête, une file de lions nageaient derrière le bateau. Perdus au milieu de la mer, ils se sentaient en sécurité dans le sillage du navire. Il y avait bien ce récif, mais il n'offrait de place que pour un lion et demi.

Ils parurent bientôt épuisés, l'oreille basse. Je leur jetai une longue corde. Je mordis la corde pour leur montrer ce qu'il fallait faire.

— Avais-tu l'intention de mordre les lions ? souffla Peter.

— Mais non ! Il voulait les pendre, dit Maria.

— Vous êtes plus bêtes que les lions. Eux, ils ont tout de suite compris ce que je voulais dire. Lorsque la corde fut dans l'eau, ils la mordirent à pleines dents et furent ainsi remorqués tout le long du voyage.

Enfin arrivés à bon port, une foule de gens s'attroupa sur le rivage. A la vue du chapelet de lions que tirait le bateau, leurs yeux leur sortirent de la tête et ils faillirent tomber à la renverse. Les lions nagèrent jusqu'à la plage, s'y blottirent et s'endormirent aussitôt. Ensuite, on n'eut qu'à les rouler dans les cages et les conduire au parc zoologique.

J'avais maintenant mon premier bateau. Je l'ai baptisé *Le Lion-de-Mer*, termina Jacob en se levant. »

— Maintenant Yan et Maria doivent sortir de la baignoire pour laisser la place à Peter et à la Puce, dit-il en déshabillant cette dernière.

Les enfants sortis de la baignoire, il versa du bain moussant et agita l'eau pour faire une nouvelle montagne de mousse.

— Tu racontes la suite de notre voyage pendant que les autres prennent leur bain ? demanda Maria en s'enveloppant dans sa serviette.

— D'accord, dit Jacob.

Il poursuivit alors :

« Pendant que nous restions là, allongés sur le pont, nous entendîmes tout d'un coup un cri perçant.

Une branche d'arbre trembla subitement à l'avant du bateau. J'arrêtai le moteur et, au même moment, une orange s'abattit sur le pont. De nouveau on entendit le cri, un horrible cri aigu. Puis quelque chose bougea dans l'enchevêtrement des branches. Quelque chose de grand et gris. Paf! Une nouvelle orange voltigea dans l'air. L'instant d'après le bateau glissait sous les branchages et nous vîmes alors très distinctement « la chose ». Un grand oiseau gris avec un long bec crochu et des petits yeux jaunes perçants, très méchants. Il avançait le long de la branche par petits bonds et essayait d'atteindre quelque chose avec son bec pointu. Une autre orange voltigea dans l'air pour tomber sur sa patte. Il poussa alors un cri, aussi terrifiant que le premier, et donna un coup de bec furieux en avant. Nous aperçumes alors ce qu'il essayait d'atteindre. C'était un petit tarsier spectre qui s'accrochait tout au bout de la branche. Il cherchait encore des yeux une orange à jeter sur l'oiseau, mais elles étaient toutes trop éloignées. Le tarsier spectre soupira, ramassa quelques feuilles, en fit une boule qu'il jeta tout droit sur le bec de l'oiseau. L'oiseau gris se fâcha tout rouge contre cette nouvelle taquinerie.

— Il ne s'en sortira jamais, cria Maria. S'il te plaît, Jacob, sauve-le !

J'avais déjà une orange en main, je visai et la lançai de toutes mes forces. Vlooop !

L'orange atteignit l'oiseau en plein ventre et fit voler ses plumes. Il dégringola de la branche, battit des ailes, culbuta et toc ! retomba sur une autre branche. Il resta planté là se tenant le ventre, et mal en point.

Du coup, il avait perdu tout intérêt pour le tarsier spectre. Sur sa branche, le tarsier, lui, était bien plus gai.

— Pourquoi reste-t-il là ? demanda Yan.

— Maintenant il pourrait bien se sauver, dit Peter.

— Peut-être qu'il est malade, dit Maria.

— On verra, dis-je, et je lançai autour de la branche la corde qui s'y enroula. Je tirai alors et la branche se courba lentement vers le sol, mais le tarsier ne bougea pas. Quand, le visage rougi par l'effort, j'eus attiré la branche à moi, je dis à Peter :

— Descends-le, toi qui es le plus grand !

— Mais s'il me mord ? dit Peter.

— Tu le mordras à ton tour.

— Laisse-moi faire, laisse-moi faire ! s'exclama Maria qui monta sur une chaise et attrapa avec précaution le petit tarsier qui ne mordit personne. Il blottit sa petite tête contre l'épaule de Maria, ferma ses gros yeux brillants, l'air très fatigué.

— Qu'il est fatigué, le pauvre petit ! dit Maria en lui caressant la tête. Le méchant oiseau l'a complètement épuisé en le poursuivant.

De la boîte à outils, nous fîmes un lit. Quelques couches de la Puce en guise de matelas, sa culotte de laine comme couver-

MORGAN 80

ture. Ensuite nous y couchâmes le petit animal. Maria lui donna une bise et il s'endormit sur-le-champ.

On jeta les outils dans le pot de chambre de la Puce qui pensa que c'était une excellente idée. Elle se mit tout de suite à jouer avec les outils, les sortant et les remettant dans le pot comme font les petits enfants. Enfin, elle s'occupait !

— Quand nous rentrerons, dit Maria, le tarsier pourra dormir dans mon lit de poupée. Et manger dans les petites assiettes de ma dînette et s'asseoir sur les chaises de la poupée et...

— Et porter des petits bonnets de poupée sur la tête et des jupes de poupée et un petit sac de poupée ridicule à la main et se coiffer avec le petit peigne de poupée, même si le tarsier n'a pas de cheveux ! l'interrompit Peter.

— Ecoute, tu n'as rien à dire. Tu avais peur de lui.

— Moi, peur d'une bestiole comme ça !

— Bestiole toi-même ! Tu n'osais même pas le faire descendre. Tu avais peur, haha !

— Je te ferai voir qui a peur ! cria Peter serrant les poings de colère.

— Au secours ! Il va me battre ! cria Maria.

— Maria et Peter, c'est interdit de se disputer et de se bagarrer sur mon bateau. Ici, il faut bien se tenir et obéir aux ordres du capitaine.

— Mais tu n'as pas donné d'ordre, dit Maria.

— Maintenant j'ordonne le silence. Ecoutez-moi bien. Vous n'entendez rien ?

— Non.

— Tendez donc vos oreilles pour qu'elles deviennent grandes comme des feuilles de chou.

— Mais pourqu...

— Chut !

Tout le monde fit silence pour écouter.

Peter sentait que ses oreilles devenaient nettement plus grandes et pourtant il n'entendait rien de particulier. Il allait juste demander comment faire pour que ses oreilles reprennent leur taille normale, lorsqu'il entendit un bruit. Tous les autres l'entendirent aussi : un craquement et un grincement.

Il y eut soudain un grand craquement dans le bateau qui bascula si violemment que nous glissâmes tous de l'autre côté du pont. Le pot de chambre déversa vis, clous, boulons et outils qui roulèrent en tous sens sur le pont et même dans le fleuve. La Puce fut si ravie qu'elle jeta aussi le marteau à l'eau.

Yan se précipita pour l'en empêcher, mais trop tard. Plouff ! Le marteau disparut dans le scintillement vert de l'eau. Mais, surprise ! à l'endroit même où le marteau coula, on vit quelque chose monter lentement à la surface. C'était très grand et tout noir. »

Ici, Jacob s'arrêta et se leva de sa chaise. Les enfants protestèrent.

— Tu ne vas pas t'arrêter juste au moment où c'est aussi passionnant.

— J'avais l'intention d'aller nous préparer un peu de thé, dit Jacob. Et de faire des tartines. Entre-temps la Puce et Peter sortiront de leur bain. Ensuite tout le monde mettra pyjamas, pantoufles et robes de chambre. La suite du voyage sera pour plus tard.

Jacob sucra le thé avec du miel. Le goût en était délicieux. Il avait aussi fait cuire des œufs. Des œufs durs, et non pas des œufs mollasses et répugnants comme ceux de leur mère qui dit toujours qu'elle minute la cuisson. Mais tout le monde pouvait quand même voir qu'ils n'étaient pas mollets mais mollasses.

4

Des écrevisses éléphantesques...

Pendant qu'ils prenaient leur thé, Jacob continua l'histoire de leur voyage.

« Yan, penché en avant par-dessus la rambarde du bateau, regardait dans l'eau, le cœur battant. Il n'arrivait pas à détacher ses yeux d'une immense ombre noire qu'il apercevait indistinctement dans les profondeurs. Sur le point de crier : “Récif à babord !”, il lui vint soudain à l'esprit que les récifs ne se déplacent pas. Le bateau avançait assez rapidement mais l'ombre dans l'eau se tenait tout le temps à leur côté. Maintenant, il était évident que l'ombre les suivait. C'était assez effrayant.

Alors, de nouveau, ils entendirent un raclement.

Ce bruit venait du flanc du bateau, là où se trouvait cette ombre noire. Yan se retourna vivement.

— Jacob ! cria-t-il, mais sa gorge n'émit qu'un croassement enroué.

— Tu as vu quelque chose ? demandais-je en accourant.

Yan acquiesca d'un signe de tête et tendit le doigt. Je vis tout de suite de quoi il s'agissait.

— Par le tonnerre de ma barbe ! criai-je alors avec une telle force que celle-ci se hérissa. Ma barbe à couper que c'est une écrevisse éléphantesque !

(Si j'ai encore ma barbe, c'est que c'en était bien une.)

Avec ses pinces monstrueuses, elle

essayait d'écraser notre bateau en le secouant.

On entendit un craquement encore plus fort et le bateau bascula à nouveau, si bien que nous roulâmes tous vers l'autre bord.

— Elle écrasera tout avec ses grosses pinces, souffla Yan, le visage blanc comme un singe, pardon, comme un linge.

— Tu crois qu'elle le fera ? demanda Peter en se glissant plus près de moi.

— Hmmm, on ne peut jamais en être sûr, mais...

— Mais quoi ?

— Mais si elle a de nouvelles pinces, elle nous coince. Voyez-vous, ces écrevisses changent parfois leurs pinces usées. Quand les nouvelles poussent, ça les démange. Elles ont envie de tout pincer. Surtout du vieux bois. Quand les démangeaisons deviennent insoutenables, elles happent tout ce qui est à leur portée. Apparemment celle-ci vient de muer. Elle en pince pour notre bateau.

Elle n'avait pas encore réussi à agripper les flancs lisses du bateau. Mais cela ne tarderait pas, car elle s'acharnait.

— Nous allons tomber à l'eau lorsqu'elle aura réussi à briser le bateau, puis elle nous coupera tous en menus morceaux, dit Maria.

— Plus vite, plus vite ! gémit Peter qui sautillait d'énervement. Fais marcher le bateau plus vite !

— Impossible, dis-je. Il faut chercher une autre solution.

— L'un de nous devrait sauter. Nous aurons alors le temps de nous sauver pendant que l'écrevisse s'occupera de lui, dit Peter.

— D'accord, vas-y, saute ! dit Maria en rattachant le ruban de sa tresse qui s'était défait.

— Moi ? cria Peter. Tu es folle ! Je ne parlais pas pour moi.

— Oh, ne t'en fais pas, tu auras peut-être

une jambe coupée. Ça suffit pour nager vers la rive, dit Maria.

Soudain, elle se tut. Le visage crispé, les yeux écarquillés, elle fixait avec terreur l'arrière du bateau. Epouvantés, nous nous retournâmes et vîmes une énorme pince noire, de la taille d'une barque, s'élever pardessus le bord, racler le pont et saisir une corde.

L'instant d'après, l'autre pince apparut et puis vint le plus affreux : une tête qui s'éleva lentement et un œil hideux et saillant d'écrevisse, qui nous fixa.

C'était tellement horrible que tous se mirent à hurler. A ce cri, l'écrevisse prit peur, enroula ses longues antennes à la manière d'un rouleau de réglisse, puis replongea dans l'eau. Au passage, elle coupa net un bout de rambarde.

— Fi, quelle horreur ! Pire que vingt cauchemars ! chuchota Maria.

— Je veux rentrer, dit Peter.

— Partout où nous irons, cette cloche d'écrevisse nous suivra, dis-je.

— Je veux rentrer tout de suite. Je veux rentrer à la maison.

— Holà ! déjà ? Mais ce n'était pas toi qui souhaitais un voyage d'aventures ? dis-je.

— Ça dépend des aventures. D'ailleurs, je ne veux plus d'aventures !

— Eh bien, cherchons un moyen de nous délivrer de cette mésaventure.

On entendit un rire joyeux. C'était la Puce, restée jusque là silencieuse, occupée à ôter la couche de sa culotte. Heureuse d'y être enfin parvenue, elle brandissait comme un drapeau sa couche mouillée. De son pas de bébé, elle s'approcha de Yan, et, plof ! elle lui envoya sa couche à la figure.

— Ça va pas, non ! Tu es dégoûtante, à la fin, cria Yan. Furieux, il jeta la couche au loin dans le fleuve.

Aussitôt dans l'eau, tout s'anima.

Ça jaillissait, ça bouillonnait et des vagues

énormes se brisaient contre le bateau. On aperçut au-dessus de l'eau une pince noire géante qui serrait la couche. Elle la déchira en deux. Il y eut un bouillonnement d'écume et des morceaux de couche volèrent partout. Il semblait que l'écrevisse éléphantesque préférait cisailler les couches plus que les bateaux. Alors on jeta tout le paquet de couches dans l'eau et l'écrevisse devint folle de joie. Elle s'agita encore plus pour attraper les couches qui flottaient autour d'elle. Et elle ne s'aperçut pas que le bateau filait pour disparaître dans une courbe du fleuve.

Le fleuve s'élargit, les arbres se firent rares. Un chant étrange emplit l'atmosphère. Un énorme nuage scintillant s'approcha de nous. C'était une nuée de papillons. Des milliers de papillons, pourpres, dorés, azur, argentés, émeraude comme l'eau traversée par des rayons de soleil. Par milliers, ils voletaient dans l'air. Ils faisaient des arabesques, des rondes, des tourbillons et des rubans. Un véritable feu d'artifice.

Leurs arabesques ressemblaient aux motifs d'un kaléidoscope. Lentement les papillons se laissaient choir sur le bateau. Recouvert de papillons, il ressembla bientôt à un énorme chapeau à fleurs flottant.

Les papillons ne craignaient pas de s'approcher de nos mains tendues. Un gros papillon essaya même de se poser sur le petit nez de Maria, mais il culbuta. Déçu, il alla se poser sur son gros orteil. Il leva la tête et la regarda de ses yeux noirs et brillants en boutons de bottine. Puis, chose étrange, le papillon ouvrit sa bouche minuscule et dit d'une voix claire :

— Pourquoi tu ne chantes pas avec nous ?

Heureusement que Maria était assise, sinon, elle en serait tombée sur le derrière.

— Je n'en sais rien, dit-elle.

— Essaie donc ! dit le papillon d'un ton si convaincant que Maria en eut aussitôt

envie. Chacun se mit à chanter « La Chanson des Papillons ».

L'eau coule et brille.
Le papillon fredonne et vrille.
Les enfants courent dans les roseaux du rivage
Serrant dans leurs mains des petits sacs de plage.
Noisettes et œufs d'argent,
Nénuphars et baies de sureau
Cueillirent les enfants.
Et les touffes des roseaux
S'agitèrent dans le vent.
Le soleil tombe à bâbord.
Ouvrons tout mille sabords !

Quelle surprise ! Cette chanson, on ne l'avait jamais apprise et pourtant on l'avait chantée du premier coup. Elle avait jailli toute seule. Tous éclatèrent de rire. On rit et on rit si bien que personne ne vit les papillons s'envoler, ni le bateau parvenir en pleine mer. »

Jacob se pencha au-dessus de la table.

— Où est l'œuf de la Puce ? demanda-t-il.

— Je crois qu'elle l'a mis dans sa poche, dit Maria. Elle vérifia. En effet, l'œuf se trouvait là parmi tout un bric-à-brac.

— Si tu n'en veux pas, je le mangerai, dit Maria qui porta l'œuf à sa bouche. La Puce poussa alors un cri qui faillit éteindre le lampadaire, et chacun se boucha les oreilles de ses mains.

Maria rendit aussitôt l'œuf à la Puce.

— Bon, bon, dit Maria, mange-le alors !

Ce que la Puce ne fit pas. Bien sûr.

5

Des baleines et Moco le Mollusque...

Lorsque pour la troisième fois l'œuf fut repêché de la poche de la Puce, il avait l'air pitoyable.

— Ça suffit maintenant, dit Jacob qui nettoya l'œuf et l'avala. Les yeux de la Puce se rétrécirent, elle serra ses poings et, de nouveau, poussa son cri affreux. Du tac au tac Jacob poussa un cri encore plus affreux. Il cria si fort que la table faillit s'envoler par la fenêtre. Malheureusement, elle était bien trop lourde pour cela.

Alors, la Puce referma sa bouche et se tut.

Ses yeux écarquillés devinrent tout ronds.

Dans un silence total, Jacob se fit une tartine de fromage. Puis il reprit son histoire :

« Ici c'est l'océan Atlantique, dis-je d'une voix solennelle. Il s'étend bleu et immense à perte de vue. Vous n'en avez jamais vu de si grand. Mais il y a un petit ennui.

— Quel petit ennui ? dit Yan occupé à éplucher une orange.

— Regarde là-bas, dis-je. Le brouillard.

C'était comme un mur blanc qui avançait vers nous à toute vitesse.

Quelques minutes plus tard, on était dans un brouillard épais comme de la purée de pois.

— Ah ! C'était à prévoir, grommelai-je en réduisant la vitesse. Nous allons être en retard.

— En retard, pourquoi ? demanda Yan.

— C'est vrai, j'ai oublié de le raconter. Nous sommes en route pour Bwataouti afin d'y chercher un trésor que j'avais caché là après un naufrage. J'ai survécu quelques mois dans ce trou profondément ennuyeux. Rien à faire que manger, dormir, se baigner. Alors, je me suis mis à la pêche aux perles. Après en avoir rassemblé une grande quantité, je suis reparti à la nage, abandonnant les perles.

— Pourquoi ?

— Trop compliqué. Je les avais mises dans un coffret de bois de cocotier, mais le couvercle fermait mal. Alors, j'ai caché le coffret dans une grotte.

— Ça alors !

— C'est passionnant !

— Pourquoi se dépêcher ? Les perles sont en sécurité. Elles n'ont pas d'ailes, dit Yan.

— Non, mais elles peuvent s'envoler quand même : Moco le Mollusque connaît l'existence du coffret et vogue aussi vers Bwataouti.

— Le type aux lions ?

— Lui-même. Un vrai filou.

Le brouillard enveloppa le bateau comme dans du coton. L'eau disparaissait, puis réapparaissait. Subitement, venue de nulle part, une masse sombre surgit devant nous.

— Attention ! criai-je de la proue où je veillais.

— Qu'est-ce que c'est ? demanda Yan qui était à la barre.

— Barre à bâbord toute, nom d'un chien de mer ! criai-je.

Mais Yan s'énerva tant qu'il ne se souvint plus quel côté était bâbord. Il se dirigea en avant toute. Et boouum ! Tout le monde s'écroula pêle-mêle. Dans la cabine, le tarsier spectre fut éjecté de sa boîte et la Puce y tomba à sa place. Le bateau craqua, la cheminée tomba de travers et Maria perdit sa première dent de lait.

Puis tout retomba dans le silence le plus complet. Le moteur s'arrêta. Le bateau s'immobilisa.

— Et voilà, dis-je.

Et je commençais à tripoter le moteur. Je vissais, cognais et tapais, mais le moteur n'en pouvait plus. Il toussota un peu et puis il se tut de nouveau.

La Puce, qui se trouvait mal en boîte, vint en trottinant m'aider à arranger le moteur. Elle y versa rapidement une poignée de clous et puis me regarda pleine d'espoir.

— Crois-tu que ça nous aidera ? dis-je.

— Ayou, ayou, dit la Puce d'un air angélique.

De très loin nous parvinrent à travers le brouillard de vagues bruits assourdis.

Nous tendîmes l'oreille pour distinguer bientôt des cris et des chants et le ronronnement d'un moteur.

— C'est le bateau de Moco, j'en reconnais le bruit. Il faut repartir, dis-je soucieux.

Mais le moteur continuait à faire le mort. Tandis que le bateau de Moco s'approchait rapidement.

J'ordonnai d'apporter le câble que j'emportais à la proue.

— Crois-tu que Moco va nous découvrir? chuchota Peter à Yan.

A ce moment-là un coup de fusil éclata. Une balle invisible traversa le brouillard et s'enfonça à l'arrière.

— Ils nous ont découverts ! dit Maria.

— Ils vont nous tuer, gémit Peter.

A cet instant, on sentit une forte secousse. D'un coup brusque, le bateau redémarra et fila à grande vitesse dans un fracas énorme. Je repris la barre.

— Quelle chance que le moteur se soit remis en marche, soupira Maria.

— Mais comment cela se fait-il qu'il soit silencieux ? demanda Yan étonné.

— Le moteur est toujours en panne. Nous sommes remorqués, dis-je joyeusement.

— Remorqués par qui ?

— Par la baleine sur laquelle nous avons

échoué tout à l'heure. Nous l'avions heurtée si fort qu'elle s'était évanouie. Mais j'ai versé un peu de rhum dans son trou de respiration et alors elle s'est réveillée. J'ai attaché le câble à sa queue. Lorsqu'elle entendit le coup de fusil, elle prit peur. Tout s'arrange. Si on le fêtait avec une tasse de sirop chaud ? Mes doigts de pieds se sont refroidis dans le brouillard.

Dans la cabine délicieusement chaude, je sortis assez de tasses à thé pour tous ceux qui s'y étaient entassés. Je remplis les tasses d'eau chaude.

— Et le sirop ?

— Voici, dis-je, et je sortis une petite boîte de ma poche. Elle était pleine de petites graines et j'en laissai tomber quelques-unes dans chaque tasse. Ça bouillonna et une merveilleuse odeur de framboise se répandit dans la cabine.

— Tu es sûr que ce n'est pas du poil à gratter ? demanda Maria.

— Tu es sûre de ne pas être un lion? dis-je.

On mangea des biscottes, des biscuits et des œufs crus. C'était délicieux, drôle et différent.

Le tarsier spectre, qui s'était réveillé en tombant de sa boîte, participa aussi au goûter et sirota du jus dans un petit bol. Il mangea l'œuf et sa coquille, écrasa le biscuit et s'assit dessus.

— Jamais nous n'aurions eu droit de faire ça, dit Peter indigné. Regardez donc comment il salit tout autour de lui.

— Tu en faisais autant tout petit, dit Maria sévèrement.

— Jamais avec des biscuits, répliqua Peter.

— Regardez, le brouillard a disparu! cria Yan, qui avait jeté un regard par le hublot.

En effet, le brouillard s'était dissipé. Le soleil brillait dans le ciel bleu, et droit devant le bateau il y avait une petite île avec des palmiers au bord d'une plage de sable doré.

Quelle chance ! La baleine qui nous avait remorqués habitait justement dans les environs de Bwataouti. Elle nous avait emmenés tout droit chez elle.

— Mille sabres de bois ! C'est Bwataouti ! m'écriai-je en passant ma tête par le hublot. Tous les hommes sur le pont !

On se hâta de détacher la baleine, mais le bateau allait à une telle allure qu'il glissa jusqu'à l'île. Doucement, il s'enfonça dans le sable.

On mit pied à terre et on se dégourdit les jambes. Enfin, la terre ferme, le plancher des vaches ! C'était bien agréable.

— Je cours chercher le coffret aux perles. Restez ici pour garder le bateau. Baignez-vous, si vous en avez envie.

Je partis en courant.

L'eau était tiède. La Puce, assise, creusait un trou dans le sable. Yan se baigna deux fois, Maria une fois et Peter pas du tout. Car, disait-il, on ne sait jamais, il peut y avoir des crabes qui mordent les orteils. Ou même des requins.

— Si Jacob dit que nous pouvons nous baigner, il n'y a pas de raison d'avoir peur, dit Yan.

— Froussard, froussard ! cria Maria dans l'eau.

— Trouillard ! dit Yan qui s'éloigna en nageant.

Peter descendait vers le rivage et trempa peureusement dans l'eau un doigt de pied. C'était agréable, mais, se dit Peter, Jacob aurait pu oublier quelque danger... Il se pencha pour ramasser un coquillage rose qui brillait dans l'eau. Il entendit alors les cris de Maria, puis ceux de Yan.

« Ça devait arriver ! Ils ont sûrement été dévorés », pensa Peter affolé qui n'osa même pas regarder.

Comme ils continuaient à crier, il finit

bien par regarder. Maria et Yan s'agitaient et criaient dans l'eau, montrant du doigt le rivage. Peter se retourna et vit un spectacle effroyable : un singe géant, une sorte de gorille, dévalait la plage. A grandes enjambées, il se dirigeait vers l'intérieur de l'île. Sous son bras pendait un petit paquet : c'était la Puce. En un clin d'œil il avait disparu. Derrière lui sautait un tout petit animal.

En revenant, je trouvai une marmaille pleurant sur la plage qui me rapporta en hoquetant ce qui s'était passé. Je dis alors :

— On va voir ce qu'on va voir. Allons la chercher ! Où est le tarsier spectre, d'ailleurs ? Est-ce qu'ils ne jouaient pas ensemble dans le sable ?

Personne ne savait. Je vous pris par la main et nous partîmes ensemble dans la jungle. En marchant, nous appelions tout le temps la Puce. Tout d'un coup, quelque chose tomba d'un arbre. C'était le tarsier spectre. Nerveusement, il piaillait et tirait sur nos vêtements.

— Il veut jouer, dit Maria avec mélancolie.

— Je crois qu'il veut autre chose, dis-je. Suivons-le.

C'est ce que nous fîmes, mais ce n'était pas chose facile à travers la jungle touffue. Au bout d'un moment s'ouvrit devant nous une clairière bordée de très hauts arbres et le tarsier spectre s'arrêta là, en regardant droit vers le ciel. En suivant son regard, nous l'aperçûmes. Elle était assise tout en haut d'un arbre entre deux singes qui la tenaient par les bras. Elle était si haut perchée qu'elle ressemblait à une petite pelote. Mais on entendit son grand rire joyeux. Elle se balançait d'avant en arrière à une vitesse vertigineuse. Ses souliers s'étaient envolés loin de là.

— Maman ne serait pas contente si elle la voyait ainsi, dit Peter gravement.

— Heureusement qu'elle ne la voit pas.

De toute façon, on ne lui dira pas que l'arbre était si haut, dit Maria.

J'enlevai ma veste et grimpai chercher la Puce. Elle n'était pas du tout contente de redescendre, mais je lui donnai une noix de coco pour la consoler. Elle me cogna la tête avec ma noix et du coup elle se sentit bien mieux.

Nous nous précipitâmes vers le rivage. Et que voit-on en arrivant ? Ou plutôt, que ne voit-on pas ? Le bateau ! Plus de bateau ! Pas une trace du bateau, ou plutôt si, juste une trace sur le sable. Nous eûmes le temps de voir l'arrière disparaître derrière un cap. Une maigre silhouette à bord nous faisait un pied de nez.

Seul restait sur le rivage le câble que nous avions attaché autour d'une pierre.

— Un coup de Moco, bien sûr ! Quel muffle, ce molosse de mollusque ! On aurait dû s'en douter, murmurai-je en grinçant des dents, car j'étais vraiment fâché. »

Jacob termina sa tasse de thé.

— Eh oui, dit-il. Fini le goûter !

— La Puce a mangé tout le saucisson de ma tartine, dit Peter.

— Bon débarras.

— Mais je n'ai pas eu de saucisson, moi.

— De toute façon tu n'en voulais pas.

— Non.

— Tu vois. Bon, allons nous brosser les dents. Debout et à la queue leu leu jusqu'à la salle de bains.

— Pourquoi en rang? Je ne veux pas aller en rang, dit Peter.

— Vas-y en zigzag alors, dit Jacob. Le principal c'est que tu y ailles.

Ils coururent se brosser les dents.

6

Tout est bien qui finit bien

Après la toilette, Jacob demanda aux enfants de lui montrer leurs lits.

Il dit :

— Vous en avez de la chance de dormir dans des lits aussi moelleux. Il est tard, vous pouvez vous coucher.

— Il n'est quand même pas aussi tard que ça, dit Yan.

— Non, mais il va l'être. De toute façon, couchez-vous. Je continuerai à raconter. On entend mieux allongé.

— Bon, où en étions nous ?...

« ...Nous restions donc là sur la plage, Yan, Peter, Maria, la Puce et moi, sans bateau, et la mine sombre. La mer brillait et, moqueuses, les vagues semblaient nous faire signe : “Coucou, les fers à repasser ! Coucou, les marins d’eau douce ! Coucou, jambes de bois ! Coucou à vous tous ! Vous voilà Gros-Jean comme devant !”

C’était triste de ne pas être nés poissons. Mais que faire ? Et d’ailleurs, à bien réfléchir, nous préférions être des hommes. Même si la situation semblait désespérée.

— Nous ne nous en sortirons jamais, dit Peter, lugubre.

— A moins de nager, dit Yan. Mais nous ne pourrons jamais nager aussi loin.

— A moins de voler, dit Maria. Mais on n’a pas d’ailes.

— Je ne veux pas rester ici avec ces affreux singes, gémit Peter.

— Du calme, du calme, dis-je. Pour sûr que nous rentrerons. Mais comment ?

Je mis ma main en visière sur mes yeux et regardai la mer.

— Hum, fis-je.

— Qu'est-ce que tu disais? demanda Peter, plein d'espoir.

— Je disais seulement "hum". Rien d'autre.

— Ah..., fit Peter, plus abattu que jamais.

Je me dirigeai vers le bord de l'eau et vous vous êtes assis dans le sable. S'il fallait rester dans l'île, autant rester assis : quelle fatigue de rester debout, toujours debout, à fixer la mer tout en vieillissant, pendant que la barbe pousserait, que les jambes se courberaient, que les dents tomberaient et que les cheveux blanchiraient !

Maria se retourna pour dire quelque chose. Elle ouvrit la bouche mais la referma aussitôt et avala sa langue.

— Il y a un singe derrière toi, dit-elle d'une voix étranglée à Peter.

— C'est une blague ! dit Peter d'une

voix encore plus étranglée. Mais au même moment, il sentit une lourde main peser sur son épaule. Il se recroquevilla et devint tout petit.

— Fais semblant de ne pas le voir. Il s'en ira certainement, dit Maria d'une voix peu convaincante.

Peter tremblait tant qu'il ne put faire semblant de quoi que ce soit. Il rapetissa encore. Le singe se pencha sur lui et colla sa bouche contre son oreille.

— Il va manger ton oreille, dit Maria.

— Non ! cria Peter sauvagement. D'un bond, il se précipita vers moi et le singe le suivit d'un pas lourd.

— Sauve-moi, il va me manger ! cria-t-il en se cachant derrière moi.

— Je crois qu'il veut jouer avec toi, dis-je. D'ailleurs, peut-être qu'il pourra nous aider. Il paraît gentil.

Il faut dire que je parlais un peu la langue gorille (j'avais lu tous les livres de Tarzan).

J'ordonnai au gorille de m'emmener de l'autre côté de l'île. Obéissant, il se hâta du plus vite qu'il put. Pour lui, c'était un jeu très amusant. Il sautait d'un arbre à l'autre avec une rapidité incroyable et parfois j'avais l'impression qu'il volait. En un instant nous étions de l'autre côté de l'île. Juste à temps pour voir le bateau de Moco qui venait de contourner le cap et longeait le rivage, notre bateau traînant tristement derrière.

Je pris la corde et en fis un lasso. Le gorille et moi étions au faîte d'un arbre. Moco se trouvait à l'avant de son bateau, coiffé de son bonnet de pirate en laine verte. Il avait l'air aussi bête que d'habitude. Il tenait un pichet et mon grand nez détectait qu'il était rempli de rhum.

Je visai le bonnet vert et lançai la corde. Le lasso s'enroula parfaitement autour de Moco qui s'envola et décrivit une large courbe dans l'air pour tomber directement dans l'arbre où nous étions installés.

MORGAN 80

— Salut, vieille branche ! dis-je. Moco poussa un tel juron que les feuilles de l'arbre en frémirent. Le gorille grogna de contentement et battit des mains. Puis il tira le bonnet de Moco et le cala sur son propre crâne.

En bas, sur le bateau du pirate, tous étaient en émoi. Les uns, cloués de surprise, regardaient bêtement le ciel, les autres couraient comme des dératés, chargeant les canons, hissant et abaissant les voiles, renversant les tonneaux de rhum. A ce triste spectacle Moco devint si furieux qu'il faillit tomber de l'arbre.

— Stoppez les machines, bande de bachi-bouzouks ! cria-t-il si fort que deux branches se cassèrent et que le gorille assourdi rabattit le bonnet sur ses oreilles.

Alors moi, au faîte de l'arbre, je donnai des ordres aux pirates, bien obligés d'obéir par crainte de voir leur capitaine dégringoler du haut de l'arbre. Ça aurait pu se terminer très mal pour Moco.

Les pirates durent venir jusqu'à terre avec la yole et s'asseoir en rang sur le rivage. Puis je ramai vers le bateau pendant que le gorille surveillait Moco. La mine sombre, les pirates me virent partir à votre recherche avec les deux bateaux. Comme vous étiez heureux de me voir revenir !

Nous partîmes en longeant la plage d'où les pirates, piteux, n'avaient osé bouger. Le gorille avait laissé Moco descendre de l'arbre, mais il n'avait pas cessé de veiller sur lui pour autant. On voyait bien qu'il aimait beaucoup son rôle de gardien. Il était à moitié assis sur les genoux de Moco et, sans arrêt, le bourrait de cacahuètes. Moco n'avait pas l'air content du tout, il crachait les épluchures de cacahuètes et essayait de tourner la tête, mais le gorille réussissait toujours à lui fourrer une nouvelle cacahuète dans la bouche.

Nous faisions des signes et des au revoir aux pirates, mais aucun d'entre eux n'avait envie de nous retourner la politesse. Il y en avait qui nous tiraient la langue ou qui crachaient, d'autres qui nous tournaient résolument le dos.

— Qu'ils y restent, dit Maria joyeusement. Avec des cacahuètes pour seule nourriture.

— Non, dis-je. Même s'ils ont été méchants avec nous, nous ne le serons pas avec eux. Nous laisserons leur bateau sur l'île en face.

— Mais alors ils iront aussitôt le chercher à la nage. Et puis nous les aurons à nos trousses, dit Peter.

— Non, ils ne le feront pas : ils détestent l'eau. Aussi bien pour nager que pour se laver. Ces pirates ne nagent pas mieux qu'un tas de patates, dis-je.

Maintenant on voyait les pirates, comme des petits points, agités sur la plage jaune. Nous montâmes dans notre propre bateau. Je pris un couteau dans la boîte à outils et coupai le câble de remorque. Puis nous donnâmes un bon coup de pied à l'arrière du bateau des pirates, qui partit lentement vers l'île en face, où il s'échoua enfin sur le sable.

— Il restera là jusqu'à ce qu'ils se soient construit un radeau, dis-je. Et maintenant, mettons le cap droit sur la maison !

Et ce fut comme si le moteur avait compris ce que j'avais dit.

Il toussa, la vitesse fit écumer l'eau et il y avait comme un rideau de mousse blanche autour du bateau. Sur l'océan, il vogua comme un grand oiseau aux ailes de mousse. Le ronron du moteur vous donna sommeil, mais personne ne voulait dormir de crainte de manquer quelque chose de palpitant.

Alors je dis :

— Si vous avez sommeil, il faut dormir. Il n'arrivera plus rien.

Alors vous vous êtes roulés en boule dans la cabine et vous vous êtes endormis sur-le-champ. Et rien n'arriva plus, sinon que nous rentrâmes. Vous dormiez tous tellement bien que vous ne vous êtes même pas réveillés lorsque je vous déshabillai. Ce fut d'ailleurs aussi vite fait que d'enlever la peau d'un saucisson.

Puis je vous ai mis sur un toboggan et ainsi vous avez glissé droit dans vos lits. »

Jacob se tut.

— C'est fini ? demandèrent les enfants.

— Oui, et maintenant il est tard.

— C'était une belle histoire. Mais je ne crois pas que j'aurais eu peur du singe, dit Peter.

— Mais il était très grand, dit Jacob. Et tout proche. Et puis il n'y avait pas de barreaux entre toi et lui.

— Peut-être qu'un jour nous pourrons aller en voyage ensemble, dit Yan.

— Je n'en sais rien, dit Jacob.

— Tu viendras bientôt nous garder de nouveau ? demanda Maria. J'espère que oui.

— Moi aussi, dit Jacob.

Comme on peut le comprendre, les enfants, bien sûr, ne voulaient voir d'autre garde d'enfants que Jacob Barbatonnerre.

D'ailleurs, peu de temps après, Jacob déménagea pour s'installer chez les Nicot comme homme à tout faire. Il faisait le ménage, la vaisselle, la lessive, il repassait et préparait des repas étranges mais très bons. Et les enfants, eux, faisaient également le ménage, la vaisselle, la lessive, mettaient le couvert et débarrassaient la table, car ils voulaient faire tout ce que Jacob faisait, et mangaient ses repas étranges jusqu'à la dernière miette.

Madame Nicot put reprendre son travail dans un laboratoire. En fait, à la cuisine et à la vaisselle, elle préférait comprimer des pilules et faire goutter des sirops d'éprouvettes et toutes ces choses bizarres que l'on fait dans les laboratoires.

Monsieur Nicot était content : sa femme ne lui parlait plus de vaisselle. De plus, il n'avait plus besoin de réparer les jouets cassés ou les pneus de bicyclette, de changer les ampoules de phare, remplacer les roues des voitures et autres choses qu'en fait il ne savait pas très bien faire.

Les enfants étaient, bien sûr, plus qu'heureux d'avoir Jacob comme homme de ménage.

Quant à Jacob Barbatonnerre lui-même, il était très satisfait d'avoir enfin trouvé un travail qui lui plaisait.

Et le petit tarsier spectre aussi se trouvait bien dans la maison de poupée.

TABLE DES MATIERES

Collection Arc-en-Poche

Jean-François Bladé
10 CONTES DE LOUPS
Illustrations de Carlo Wieland

Jean-François Bladé
LES TROIS POMMES D'ORANGE
Illustrations de Carlo Wieland

Sid Fleischman
INCROYABLES AVENTURES DE MISTER MAC MIFFIC
Illustrations de J.M. Barthélemy

Sid Fleischman
LE RETOUR DE MISTER MAC MIFFIC
Illustrations de J.M. Barthélemy

Michael Bond
CHARLOTTE PARLOTTE
Illustrations de Hans Helweg

Michael Bond
UN AMOUR DE CHARLOTTE
Illustrations de Hans Helweg

Anne-Marie Chapouton
JANUS LE CHAT DES BOIS
Illustrations d'Alain Trébern

Claude Morand
PHIL ET LE CROCODILE
Illustrations de J.M. Barthélemy

Christianna Brand
CHÈRE MATHILDA S'EN VA-T-EN-VILLE
Illustrations de Edward Ardizzone

Christianna Brand
CHÈRE MATHILDA AUX BAINS DE MER
Illustrations de Edward Ardizzone

Catherine Storr
ROBIN
Illustrations de J.M. Barthélemy

René Escudié
SANARIN
Illustrations de Patrice Douenat

Italo Calvino
ROMARINE
Illustrations de Morgan

Hilda Perera
BRAVES PETITS ANES
Illustrations de Carlo Wieland

Christianna Brand
CHÈRE MATHILDA
Illustrations de Edward Ardizzone

Randall Jarrell
LE LAPIN DE PAIN D'EPICE
Illustrations de Gart Williams

Fernando Alonso
LE PETIT HOMME EN GRIS
Illustrations de Ulises Wensell

Madeleine Ley
LA NUIT DE LA St SYLVAIN
Illustrations de Carlo Wieland

Gérard Hubert-Richou
LE CHAPEAU MELON AUX MILLE REFLETS
Illustrations de Carlo Wieland

Christina Andersson
BARBATONNERRE
Illustrations de Morgan

François Sautereau
LE ROI SANS ARMES
Illustrations de Patrice Douenat

Berger-Levrault, Nancy — 778129-9-81
N° d'Éditeur : O 30709
Dépôt légal : 3e trimestre 1981
Imprimé en France